Arthur

HONEGGER

Intrada

pour trompette en ut
& piano

(H.193)

(1947)

Dépôt légal
janvier 2003

Photo de couverture :

ÉDITIONS SALABERT

INTRADA

pour trompette en ut et piano

H. 193

Arthur HONEGGER
1947

2
18
22
3
26
mf
f
f
30
mf

Allegro
34
p
f
40
p
46
f
[sim.]
52
sf
57
4
mf
fp
[sim.]

63
70
76
5
82
mf
f
f
[sim.]

p
sf
p
sf
fp
f
[sim.]
6
[sim.]
fp
p
p

112
mf
[sim.]
sf
118
crescendo
crescendo
124
7
f
f
130

Paris. Avril 1947